保持距离

[美]盖尔·赫尔曼◎著
[美]杰瑞·史麦斯◎绘
范晓星◎译

天津出版传媒集团
新蕾出版社

献给我的姐妹兰迪和罗宾。

——盖尔·赫尔曼

献给凯瑟琳和本杰明·菲兹伯格。

——杰瑞·史麦斯

图书在版编目 (CIP) 数据

保持距离 / (美) 盖尔·赫尔曼 (Gail Herman) 著；(美) 杰瑞·史麦斯 (Jerry Smath) 绘；范晓星译. -- 天津：新蕾出版社，2016.9(2024.12 重印)
(数学帮帮忙·互动版)
书名原文：Keep Your Distance!
ISBN 978-7-5307-6450-3

Ⅰ.①保… Ⅱ.①盖…②杰…③范… Ⅲ.①数学-儿童读物 Ⅳ.①O1-49

中国版本图书馆 CIP 数据核字(2016)第 191981 号

出版发行： 天津出版传媒集团
新蕾出版社
http://www.newbuds.com.cn
地　　址： 天津市和平区西康路 35 号(300051)
出 版 人： 马玉秀
电　　话： 总编办 (022)23332422
发行部 (022)23332679　23332351
传　　真： (022)23332422
经　　销： 全国新华书店
印　　刷： 天津新华印务有限公司
开　　本： 787mm×1092mm　1/16
印　　张： 3
版　　次： 2016 年 9 月第 1 版　2024 年 12 月第 20 次印刷
定　　价： 12.00 元

无处不在的数学

资深编辑　卢　江

人们常说“兴趣是最好的老师”，有了兴趣，学习就会变得轻松愉快。数学对于孩子来说或许有些难，因为比起语文，数学显得枯燥、抽象，不容易理解，孩子往往不那么喜欢。可许多家长都知道，学数学对于孩子的成长和今后的生活有多么重要。不仅数学知识很有用，学习数学过程中获得的数学思想和方法更会影响孩子的一生，因为数学素养是构成人基本素质的一个重要因素。但是，怎样才能让孩子对数学产生兴趣呢？怎样才能激发他们兴致勃勃地去探索数学问题呢？我认为，让孩子读些有趣的书或许是不错的选择。读了这套“数学帮帮忙”，我立刻产生了想把它们推荐给教师和家长朋友们的愿望，因为这真是一套会让孩子爱上数学的好书！

这套有趣的图书从美国引进，原出版者是美国资深教育专家。每本书讲述一个孩子们生活中的故事，由故事中出现的问题自然地引入一个数学知识，然后通过运用数学知识解决问题。比如，从帮助外婆整理散落的纽扣引出分类，从为小狗记录藏骨头的地点引出空间方位等等。故事素材全部来源于孩子们的真实生活，不是童话，不是幻想，而是鲜活的生活实例。正是这些发生在孩子身边的故事，让孩子们懂得，数学无处不在并且非常有用；这些鲜活的实例也使得抽象的概念更易于理解，更容易激发孩子学习数学的兴趣，让他们逐渐爱上数学。这样的教育思想和方法与我国近年来提倡的数学教育理念是十分吻合的！

这是一套适合5~8岁孩子阅读的书，书中的有趣情节和生动的插画可以将抽象的数学问题直观化、形象化，为孩子的思维活动提供具体形象的支持。如果亲子共读的话，家长可以带领孩子推测情节的发展，探讨解决难题的办法，让孩子在愉悦的氛围中学到知识和方法。

值得教师和家长朋友们注意的是，在每本书的后面，出版者还加入了“互动课堂”及“互动练习”，一方面通过一些精心设计的活动让孩子巩固新学到的数学知识，进一步体会知识的含义和实际应用；另一方面帮助家长指导孩子阅读，体会故事中数学之外的道理，逐步提升孩子的阅读理解能力。

我相信孩子读过这套书后一定会明白，原来，数学不是烦恼，不是包袱，数学真能帮大忙！

我家新添了一个小妹妹,她叫莎莉。她特别爱笑,有时候会咯咯地笑出声来,时不时地还伸伸胳膊蹬蹬腿。她真是太可爱了。

我还有一个妹妹，她叫露西。这个妹妹嘛，就没那么可爱了。

因为有了小妹妹莎莉，我就得跟露西合住一个房间。那本是我自己的房间。

可露西偏偏觉得那个房间只归她一个人。

露西把我的床弄得乱七八糟。

她把我的衣服给她的玩具穿。

她还老是唱同一首歌,没完没了。

而且，她像只跟屁虫——总是离我只有3厘米远！

睡觉前，我绞尽脑汁地想：露西有哪些招人喜欢的地方呢？

我扮小丑说笑话的时候，她会哈哈大笑。

她喜欢跟我玩打嗝儿比赛。

我们一起玩手影游戏和讲鬼故事的时候，都好开心呀！

嘿！其实，露西也不那么烦人。

早上，我想穿衣打扮，可没那么简单，因为我根本进不去更衣室。

我也没法儿照镜子。

我连梳妆台的抽屉都没法儿打开。露西总是挡着我的路。每次我一转身，总是一眼就看到露西。

我找来卷尺，量出 6 分米的长度。“你得待在你那半房间，如果做不到的话，那起码也要离我这么远。不能再近了！”

露西没有靠近我。可她像疯了一样，一个劲儿地往我这边扔东西。

“露西，我没法儿跟你合住一个房间了。我要搬到爸爸妈妈的房间去。”我有些忍无可忍了。

爸爸妈妈的房间在走廊对面，距离这个房间大概有 1 米那么远。

1 米 = 10 分米
1 米 = 100 厘米

“哈，哈！”露西说，“珍妮，我也要跟你一起搬过去。这也是我家。所以，你管不了我。”

“那好吧，我搬到杰克家去。”

杰克住在隔壁。那比搬到爸爸妈妈的房间离露西更远——有 6 米。

“我一分钟就走到他家了。”我对露西说。

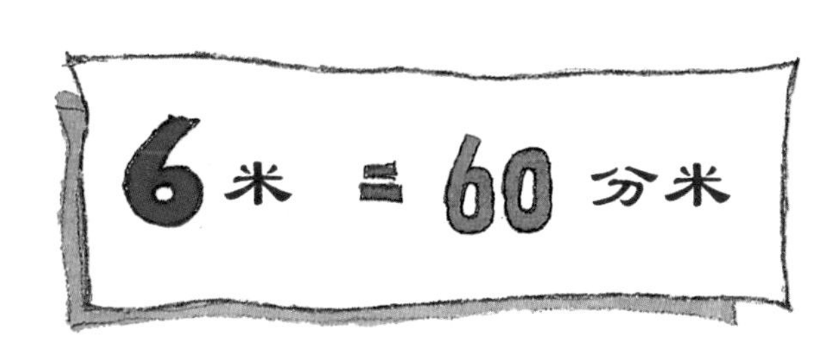

“太好啦！”露西说，“你不在家的话，你最喜欢的书就都归我喽！”

臭露西！杰克家离她还是不够远！

“我搬到艾米家去。”我说。

艾米家和我家隔着 20 个街区，在差不多 2 千米远的地方。我骑车过去大约要 10 分钟。

“随便，珍妮。”露西说，“我要在家把这些 CD 都听一遍。”

“嘿，那里面还有我的 CD！”我说。

看来艾米家也还是不够远。

“那我搬到奶奶家去。”我对露西说。

奶奶家在隔壁镇子上，距离这儿有 20 千米远！但是如果我坐公共汽车去的话，半个小时就能到。

“那你看我在不在乎！”露西说，“我要把这桶浓香巧克力冰激凌全吃光！”

“嘿！”我大喊，“还有我一半呢！”

我把我那份冰激凌挖出来，乱七八糟又如何。

看来奶奶家也不够远。我得搬到更远更远的地方去！

但是我要搬到什么地方去呢？我找来一张地图。

“我要搬到这个国家的另一边去！”我说。那里离这儿差不多 4,500 千米呢！没问题。我坐飞机就可以了！

4,500千米=4,500,000米

“或者我可以去另外一个国家。”我说，“乘船漂洋过海。”

那里离这儿差不多6,000千米呢！

6,000千米 = 6,000,000米

“又或者我可以上太空学校，坐火箭到月球上去。”我说，“那里离这儿大约 384,000 千米呢！”

384,000千米=384,000,000米

“你做不到！”露西喊。
“我能做到！”我大声抗议。

“哇！哇！”
哎呀！小妹妹莎莉哭了！

“你们两个能安静一下吗？”妈妈说，“你们把妹妹吵醒了。”

她打量了一下我们的房间。我和露西也看了看。真乱呀！

“发生什么事了？”妈妈问。

露西一步跨到我的身边。我俩紧贴着，连 1 厘米的缝隙都没有。

我看看露西，露西看看我，我们不约而同地笑了。

“什么事都没有。”露西说。

细细地想一想，露西和我其实是很亲密的姐妹。

我不想搬到别的地方去了，不去月亮上，也不去奶奶家，连对面的邻居家也不去了。因为，姐妹俩就应该在一起！

距 离 表

你知道1厘米、1分米和1米之间有什么关系吗？试着通过下面的规律找出答案吧！

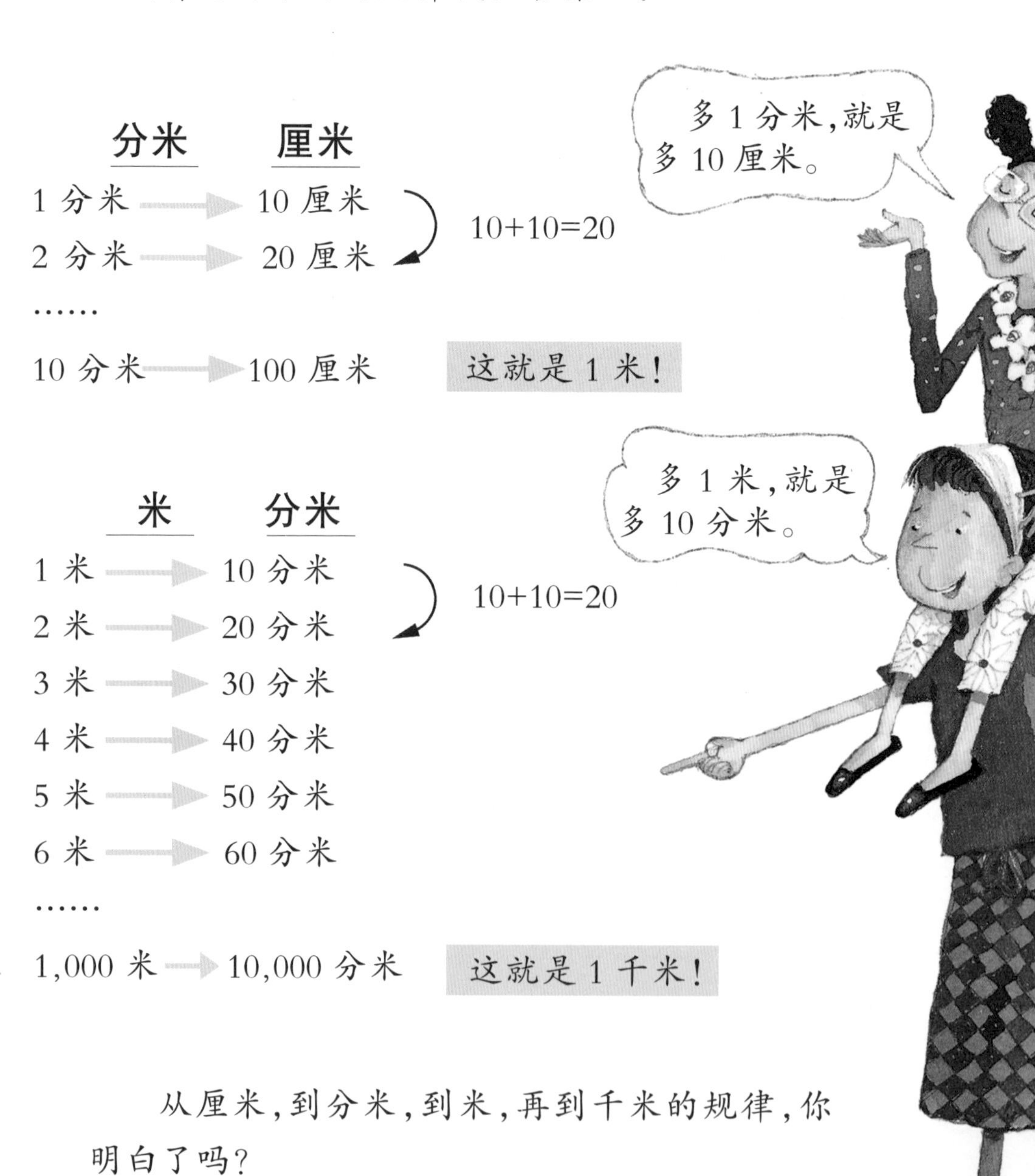

分米	厘米
1分米 →	10厘米
2分米 →	20厘米
……	
10分米 →	100厘米

10+10=20

这就是1米！

米	分米
1米 →	10分米
2米 →	20分米
3米 →	30分米
4米 →	40分米
5米 →	50分米
6米 →	60分米
……	
1,000米 →	10,000分米

10+10=20

这就是1千米！

从厘米，到分米，到米，再到千米的规律，你明白了吗？

亲爱的家长朋友，请您和孩子一起完成下面这些内容，会有更大的收获哟！

提高阅读能力

- 阅读封面，包括书名、作者等内容。你觉得这是一个关于什么的故事？封面上的两个女孩是什么关系？哪个女孩心里想的是要和对方“保持距离”？“保持距离”这个词是什么意思？
- 读过故事之后，请孩子将珍妮所提到的地方按顺序列出来。重新读一遍这个故事，请孩子找出从珍妮的房间到这些地方的距离，以及珍妮去这些地方分别需要多长时间。随着故事的发展，除了这些距离越来越远，还有什么也在增长？（答案：走过这些距离所需要的时间也在增长！）
- 再跟孩子观察书中的插图。在珍妮的卧室里发生了什么？在她的想象中又发生了什么？
- 请孩子根据故事情节回答问题。为什么珍妮要露西跟她保持距离？为什么她最后决定，要和自己的姐妹“在一起”？姐妹俩合住一个房间，应该怎样和平共处呢？

巩固数学概念

• 请看第 32 页的图，和孩子讨论测量距离的问题。请孩子说一说 1 米等于多少厘米？1 千米等于多少米？在第 13 页的图中，珍妮拿卷尺测量的距离是多少？

• 和孩子讨论第 22~23 页中珍妮拿的地图。这是哪个国家的地图？

• 请孩子将第 22~23 页的地图跟第 24 页的图比较，找出美国的东海岸。

• 请孩子看第 26~27 页的图，说一说珍妮想象中的火箭是从哪里发射的？

• 请孩子找出第 25 页上的地球仪。

生活中的数学

• 如果有可能，给孩子提供一些不同的测量工具，如米尺、卷尺等。请孩子练习测量距离。客厅里两把椅子间的距离是多少？厨房里水池到冰箱的距离是多少？

• 故事中，珍妮想象自己去另外的镇子、国家，甚至是月球上生活！请孩子发挥想象力，画一张从自己的家乡到他想象中的任何一个地方旅行的地图。请孩子用直线来表示两个地点之间的距离，在直线上面写出此距离的具体数字（想象的或实际的距离）。

珍妮和露西去参观家具博物馆，她们看到展台上展示了一张古代的桌子。请你观察下图，试着回答以下问题。

(1)桌子的长是多少？

(2)桌子的高是多少？

(3)桌面距离地面有多高？

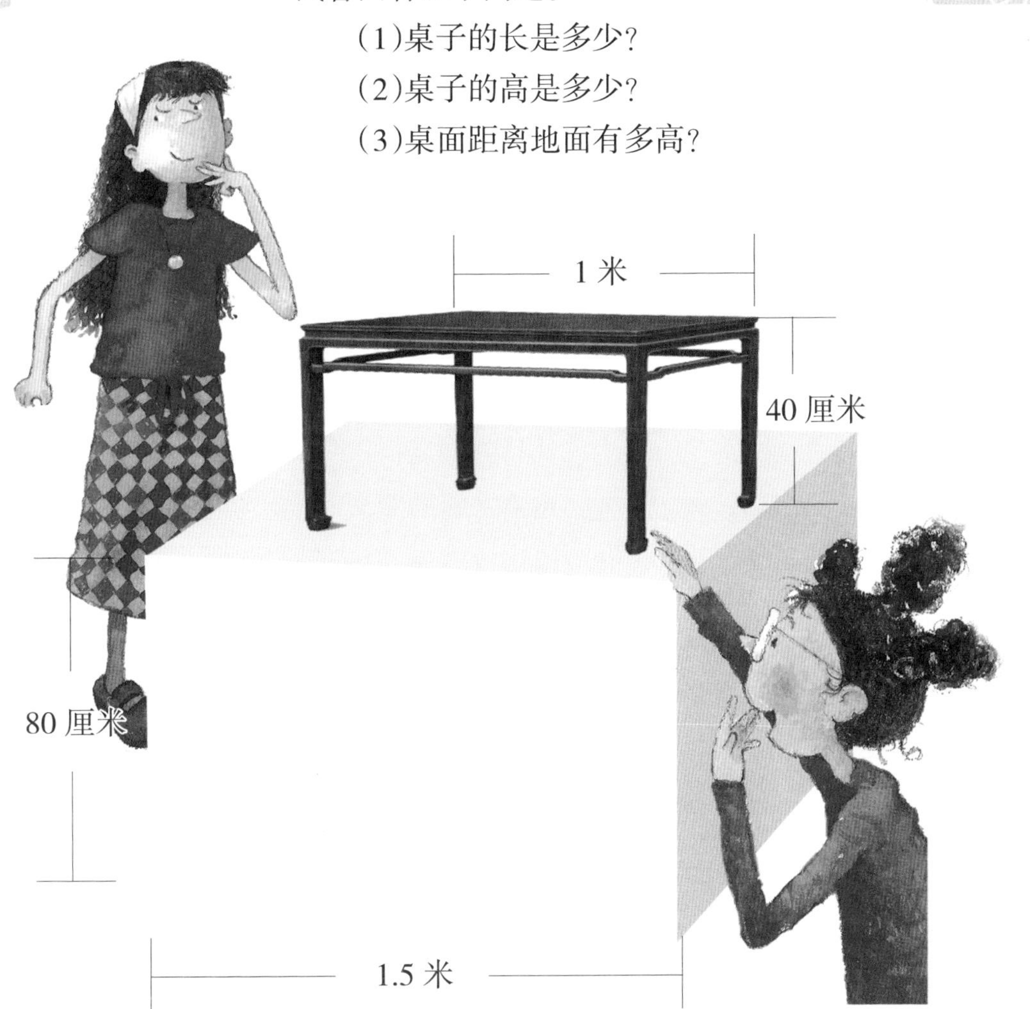

互动练习 2

（1）五个长度单位就像人的手掌上的五根手指，大哥千米当然是大拇指，请你填出其余四兄弟。

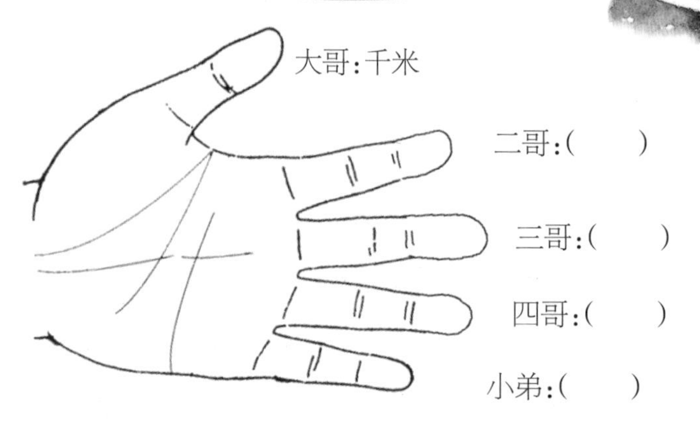

(2)仔细观察这五兄弟之间的距离,你会发现小弟、四哥、三哥、二哥之间的距离都比较近,但是大哥和二哥之间的距离就很远。请你试着填出下面的进率吧!

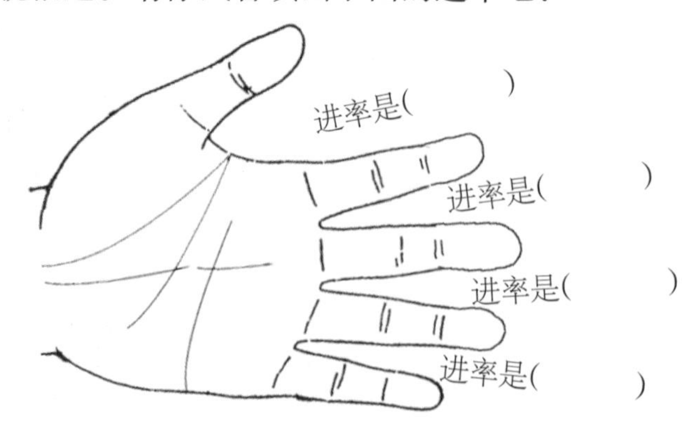

露西每天早晨坚持绕水塘跑圈。她一直想知道自己每天跑的一圈到底有多少米。你能帮她测量出这一圈有多少米吗?

互动练习4

杰克家刚买了一辆新汽车，爸爸决定带全家人出去旅游。杰克对车上的里程表特别感兴趣。从家里出发的时候,他看到里程表是这样的:

到达景区的停车场时，杰克看到的里程表是这样的:

那么,杰克家的车从家里到景区一共行驶了多少千米呢?

家里停电了，露西点燃了一根长 20 厘米的蜡烛。如果蜡烛每小时燃烧 5 厘米，那这根蜡烛全部燃尽需要几个小时？

珍妮将两根长 8 分米的小木条像下图这样绑在一起。她用尺子一量，发现总长只有 15 分米，而不是 16 分米，这是为什么？

15 分米

一天，珍妮和露西发现了四个装着美食的盒子，但是每个盒子上都有一个奇怪的等式：

80(　　)+ 2(　　)= 1(　　)　　7(　　)+ 30(　　)= 10(　　)

900(　　)+ 1(　　)= 1(　　)　　800(　　)+ 20(　　)= 10(　　)

只有在(　　)里填上合适的长度单位，使得左右两边正好相等，盒子才能被打开。请你试着帮她们打开盒子吧！

互动练习 1:

(1)1 米

(2)40 厘米

(3)120 厘米(1.2 米)

互动练习 2:

(1)米,分米,厘米,毫米

(2)1000,10,10,10

互动练习 3:

答案不唯一,比如可以先量出自己走一步有多长,再数数自己走了几步,用计算器一乘就算出来了。

互动练习 4:

115 千米

互动练习 5:

4 个小时

互动练习 6:

因为两根小木条的接头处重叠了1 分米。

互动练习 7:

以下答案不唯一。

80(厘米)+2(分米)=1(米)

7(分米)+ 30(厘米)=10(分米)

900(毫米)+1(分米)=1(米)

800(毫米)+20(厘米)=10(分米)

(习题设计:张宏伟)

Keep Your Distance!

I have a new baby sister named Sally. Sally smiles and laughs and kicks her legs. She is very cute.

I have another sister, too. Her name is Lucy. And Lucy is not very cute.

Now that Sally is here, Lucy and I share a room. My room.

But Lucy thinks the room is hers.

Lucy messes up my bed.

She dresses her stuffed animals in my clothes.

She sings the same song over and over and over again.

And she's always right there—three centimetres away from me!

Before I go to sleep, I try to think of the good things about Lucy.

She laughs at my jokes.

She likes burping contests.

We have fun playing shadow games and telling scary stories.

Hey! Lucy's not so bad.

The next morning I try to get dressed. It's not easy. I can't get to the closet.

I can't see in the mirror.

I can't open the dresser drawer. She's always in my way. Every time I turn around, there's Lucy.

I get a tape measure. I measure six decimetres. "If you can't stay on your side of the room," I say, "at least stay this far away from me. Don't come any closer! "

Lucy doesn't come closer, but she's mad. She throws her stuff all over my side.

"Lucy," I say, "I can't share this room with you. I'm moving in with Mom and Dad."

Their room is across the hall. It's farther away than one metre.

"Ha, ha!" says Lucy. "I'm coming with you, Jen. This is my house, too. So you can't stop me."

"Well then," I answer, "I'm moving to Jack's house."

Jack lives next door. That's farther away than Mom and Dad's room—six metres.

"I can walk there in one minute," I tell Lucy.

"Good," says Lucy. "While you're gone, I'll read your favorite books! "

That Lucy! Jack's house isn't far enough away from her!

"I'll move to Amy's," I say.

Amy lives 20 blocks away—almost two kilometres. I can ride my bike there in about 10 minutes.

"That's fine, Jen," says Lucy. "I'll stay here and play all these CDs."

"Hey, some of those are mine! " I say.

Amy's house isn't far enough away, either.

"I'll move to Grandma's," I tell Lucy.

Grandma lives in the next town. That's 20 kilometres away! But if I take the bus, I'll be there in half an hour.

"See if I care! " says Lucy. "I'll just finish this triple-chocolate-fudge-ice cream all by myself! "

"Hey! " I shout. "That's half mine! "

I scoop out my share. So what if it's a little messy.

Even Grandma's house is too close. I'll have to move farther away—much farther!

But where should I go? I grab a map.

"I'll move to the other side of the country! " I say. That's about 4,500 kilometres from here. No problem. I'll just take a plane!

"Or maybe I'll go to a different country," I say. "I can take a boat across the ocean."

That's about 6,000 kilometres!

"Or maybe I'll go to a space school and take a rocket to the moon," I say.

"I'll be 384,000 kilometres away! "

"You can't do all that! " Lucy shouts.

"Yes I can! " I shout back even louder.

Waah! Waah!

Uh-oh. Baby Sally is crying!

"Girls! Quiet down," says Mom. "You woke the baby."

She looks around the room. So do Lucy and I. What a mess!

"What's going on here? " asks Mom.

Lucy steps next to me. There is not one centimetre between us.

We look at each other. Then we smile.

"Nothing," Lucy says.

When it comes right down to it, Lucy and I are very close.

I don't want to move anywhere. Not to the moon, not to Grandma's, not even across the street. After all, sisters have to stick together!